HOMA SWEET HOME

Homa
Sweet Home

Patrick Lafontaine

ÉDITIONS DU NOROÎT

Le Noroît souffle où il veut, en partie grâce aux subventions du Conseil des Arts du Canada et de la Société de développement des entreprises culturelles du Québec.

Les Éditions du Noroît bénéficient également de l'appui du Programme de crédit d'impôt pour l'édition de livres du gouvernement du Québec (gestion SODEC).

Conception graphique : Martin Dufour
Photographies : Patrick Lafontaine

Dépôt légal : 2e trimestre 2008
Bibliothèque et archives nationales du Québec
Bibliothèque nationale du Canada
ISBN 978-2-89018-631-6
Tous droits réservés
© Éditions du Noroît, 2008

Catalogue avant publication de Bibliothèque
et Archives nationales du Québec et Bibliothèque
et Archives du Canada

  Lafontaine, Patrick
  Homa sweet home
  Poèmes.
  Comprend des ref. bibliogr.
  Texte en français seulement.
  ISBN 978-2-89018-631-6
  I. Titre.

PS8573.A354H65 20087 C841'.54 C2008-940141-7
PS9573.A354H65 2008

DISTRIBUTION AU CANADA
EN LIBRAIRIE

Dimedia
539, boulevard Lebeau
Saint-Laurent (Québec) H4N 1S2
Téléphone: 514-336-3941
Télécopieur: 514-331-3916
Courriel : general@dimedia.qc.ca

Éditions du Noroît
4609, rue d'I   bureau 202
Montréal (Québec) H2H 2L9
Site : www.lenoroit.com
Courriel : lenoroit@lenoroit.com
Téléphone : 514-727-0005
Télécopieur : 514-723-6660

DISTRIBUTION EN EUROPE

DNM
Librairie du Québec
30, rue Gay-Lussac
75005 Paris
Téléphone: 01 43 54 49 02
Télécopieur: 01 43 54 39 15
Courriel : liquebec@noos.fr

Imprimé au Québec, Canada

à Magalika

You do an album,
and there is the rest of your life.

Lou Reed

*Porte d'une femme

Premier contact qu'il ns montre.

sur le trottoir
en face juste après
la ruelle se trouve → personnification ou métaphore.
une pause
le temps de mettre ses gants
de serrer la sangle du parapluie ⎬ énumération
observer l'aveugle
marcher vers le couchant

d'autres fois elle
ne s'arrête pas
me laisse seul
immobile à la fenêtre

observation

je regarde par la fenêtre des enfants
derrière la clôture
entre nous la rue établit
sa loi de poteaux et de bouches

ils s'aiment en groupes
avec des gestes de balourds
je bouge le moins
possible pour n'être pas

sur le point
d'écrire

observateur

l'homme est d'un côté
de la clôture l'enfant
de l'autre enjambe
un ballon pousse
une fille l'homme regarde
au loin l'enfant pleure
trébuche le pas de l'homme
accélère au flanc du départ
de son père l'enfant crie
en arrêtant sa course au bord
du lointain j'ai perdu
mon amour se dit
à distance

1646
rue Joliette

il n'y a pas de moi qui vaille
plus qu'un autre
j'ai tellement écrit je que je me donne
mal au cœur

il aurait fallu que ça se produise
plus tôt je dirais
qu'il est trop tard → *Trop tard pour quoi?*

à mon adresse
le convoi des signes
rompt charge

je parque ma Nissan verte
la portière frotte
le trottoir j'ai vendu
mes disques pour un poulet
rôti je sors quelques sacs
de l'arrière les enfants
arrivent une partie
de Monopoly avant les hot
chickens je dois
de l'argent je vais
en prison je passe
mon tour je n'ai
plus faim

Je ferme l'ordinateur. Éteins la lampe du passage. Sur son panier à linge, le voisin d'en face reprend son numéro selon le va-et-vient de la porno. J'imagine le plastique froid entre ses cuisses. L'imperfection du plastique. Du dessous le voisin sort. Vérifie la porte. Je ne crois pas qu'il m'ait vu.

à 15 ans Hochelaga montre ses seins durs et blancs ses bottes
de manga cirées rose lance ses hanches dans tous les yeux
brûle la fin d'un joint offre sa liberté
sa toute petite liberté

quand la nuit tombe
dans Hochelaga-la-fosse
peu s'en relèvent le béton
nourrit notre misère hurle
les démons mis à nu
au vent sur la corde
dans l'immense fournaise

ferme les portes
baisse les stores
couds les paupières

comment dire

ma voisine est une sonore tu me suis
quand elle baise en criant
c'est des heures pendant je bande

mais hier le cri
en plein après-midi
de jouissance se déchire
maman maman maman
je veux te voir
un autobus passe
comment j'vais faire oui
un verre se brise
maman

c'est à elle que je voudrais
parler tu vois c'est impossible
ensemble on ne peut que jouir

j'écris sur la lisière de la piste
ta lenteur est si belle
à venir tant tu la caresses
comme une haleine j'écris
Notre-Dame ignore le rêve
vague des sucs lointains sous ton nom
le ravissement des layons
demeure ta plus
effective marque

Je me lève pour de l'eau. La chaise frappe contre la bibliothèque. Il fait trop chaud dans la cuisine. Je rince un vieux verre. Le réfrigérateur crie sa lumière. Renverse un peu d'eau. Vois mon ombre. L'ordinateur toujours ouvert. Muet, transparent et froid.

à coups de barre de métal
Hochelaga-la-tendre
au fond de la gorge
digère deux par deux
dans leur case les corps
vides   abandonné
dans les rayons du poème
éperdu de jour comme
de nuit personne
m'aime

Parle d'une femme et ville
Pauvre.

Haut

le fer forgé la rend belle
sur le balcon qui donne
à voir sur la rue
son dos sur la brique
la main sur sa cuisse
son pied entre
deux rayons du garde-corps

Interprétation du beau
La femme qui rend

Bas.

scène
ma misère sur les planches
s'écarte les jambes de la peau
blanche comme de la coke gardée
par des barbelés

Partie plus pauvre
La misère est apperte.

Misère → drogue.
Barbelé → prison

27 —

Elle était blanche. Trop blanche avait-elle répété. Moi, c'est le rose de ses sexes qui m'obsédait. J'avais beaucoup bu mais n'avais jamais rien vu de tel. Ses lèvres allaient se refermer sur ma bite pour ne rien en laisser. Tout mon estomac allait venir avec. Sur mon lit, la nuit perd raison.

Hochelaga m'ouvre
le seul trou que je
puisse remplir

je sais que d'autres
bavent sur son strip-
tease l'aiment avec
la force de l'abandon

la rue est pour
tout le monde quand je la
cueille sur le bord
de la fenêtre pour lui faire
l'amour avec ma tête
perdu dans sa fourrure
de chatte espagnole le fleuve
se réveille pense
en son limon tout boire
jusqu'au coin de la rue
l'Espérance n'oublie
personne

quand j'inspire tout un corps de femmes crie au viol dans la ruelle entre par ma bouche et suit le suivi jusqu'au cerveau se tait dans un bordel tapissé de velours rouge pour firmament mon crâne transforme l'horreur en don de soi rien n'a encore été dit chaque fois que j'aspire la ligne griche une enfant que l'on enlève que l'on aime peut-être on viole me dit je te rappelle en se noyant

comme la voix par hasard
sortirait de la gorge
de sable d'un mort
le frottement des pagaies
évoque l'appel
inquiet d'un personnage

il reste sur le fleuve
immobile jusqu'à ce que
la surface lui répète
son image parfaite
de grand bouleau mourant

sur le fleuve immobile
jusqu'à ce que

Les enfants courent partout. On dirait des morts vivant dans la fraîcheur de l'herbe. Des groupes de bicyclettes passent sur Notre-Dame. On marche au beat des gyrophares. Je porte la couverture de laine sur laquelle on a regardé les feux. Il est 22h37. Les enfants entrent et sortent de la nuit. Ils ont oublié les violeurs, les chauffards, les seringues et les baffes, oublié les coups d'gun, les coups d'bat, oublié. Jusqu'à ce qu'ils rentrent à la maison.

En pissant tantôt, j'ai compris le mystère de la barbarie. J'ai senti la racine de la cruauté dans ma colonne de façon si intense, si intime, que ça en devenait une évidence, une nécessité, une qualité – au même titre que le bien.

J'allais nommer ce jour d'un nom bien singulier, qui planait au-dessus du fleuve noir, jusqu'à ce qu'un poisson volant ne jaillisse pour le replonger dans mon ventre plein de nuit.

Et je comprends que j'ai écrit. Que je me suis tenu sur la mince courbe un instant et, maintenant que je la connais, je ferai tout pour qu'elle advienne.

Deux heures qu'ils vident le camion. Je veux sortir mais je n'ai pas envie de les croiser dans l'escalier. C'est peut-être même pas eux autres qui vont habiter en bas, mais je n'ai pas envie de comprendre que oui. Le fleuve appelle. Il a une tumeur au cerveau. Grosse comme une île. Le camion démarre enfin.

sur son balcon sans voix Hochelaga-les-cloches sonne dans
un trou les uns se piquent s'entretuent s'enlarvent les autres
sucent des bites s'ouvrent les veines déboulent les escaliers
du haut du mât du Stade on voit partout la passion

J'ai besoin du soir pour être heureux. Quand les bureaux de cartes de crédit sont fermés et qu'Hochelaga fume son joint. Dans les rues les autos roulent à 100, les enfants traînent, des télés jouent sur les balcons. Le night life dans ce qu'il a de plus night.

viens-tu chiller me demande Dézéry mais dans Hochelaga-l'héroïne on n'arrête pas de monter les marches jusqu'au troisième pas une porte s'ouvre on s'enfonce dans le décor avec les chats des spikes sortis les pieds dans l'eau des égouts qui refoulent la misère → la misère

Thème
Misère
Quotidien
Ville

À tout prendre, en s'étirant sur la chaise de patio, j'pense que t'es jalouse. Le ciel va bientôt s'éteindre en bas dans la ruelle la chatte fixe le même arbre. Le bleu du soir gagne rapidement le balcon en étirant son ombre de sous la table. Il fait plus froid. Ses yeux n'arrivent plus à se hisser jusqu'à son visage. La jalouse a raison.

regardons la vérité en face

il y a trop peu de poids
lourds les chats font un buffet
des ordures dans Hochelaga-la-légère
dorment les autos ne s'en relèvent plus

il faut permettre aux dix
roues de ratisser
nos impasses aux enfants
de se blinder
contre la fange les plonger
dans leur destin

Hochelaga-la-chick c'est toi
le soir les maisons s'allongent
tu ouvres le ciel
de tes cuisses l'alarme
ameute toutes les queues
entre les lèvres murmure
c'est toi que j'aime

tout est vrai
et faux plus j'avance
dans la peur plus la peur
connaît le chemin

un homme disparaît
sous mon balcon j'attends
qu'il en ressorte pour voir
s'il observe
également ma perte

six fenêtres allumées
de l'école Baril le printemps
va bientôt aveugler
le réel nous ne penserons plus
à notre culpabilité

je voudrais être
un autre mais ils sont
tous occupés

je suis venu cacher
ma lèpre dans Hochelaga-l'Homa
vivre normalement comme à Laval
dans un parc de roulottes Homa
Sweet Home

on a nommé les choses mais
encore je pose mon Colt
Python le réel à portée
de main on a nommé
les choses suivez
les indications

rue sale donne-moi ce que je veux une place dans tes bras tes deux ruelles qui bétonnent les impasses à bout de sang

nos plaisirs au fond
sont simples seuls
les dépressifs profonds
comprennent plus
on se dépense plus on devient
solitaire à la caisse
du IGA des pauvres on perd
l'autre qu'on voulait
devenir chaque moment
goûte quelque chose comme
si on quittait sa peau comme
si on s'en sortait

donne juste
l'espace
pour exister ce soir
tu es seul mais un auteur
braque son gun
sur ta tempe   donne-lui
ce qu'il demande

au-dessus d'Ontario
parmi les réverbères
les phares d'autos
sur un feu rouge
passe la lune

les enfants rêvent
allongés de s'en sortir

il va sur le fleuve   immobile
reste
pêche un poisson
pour le tenir
dans ses mains le sentir
gigoter comme s'il écrivait
un poème lance
le poisson sur le bois
sourit puis caresse
de la semelle l'élastique
de sa chair jusqu'à ce que
il n'en reste rien

descends voir
et plus je descends
plus ma tête dévisse
mes poumons gonflés à bloc
tout y est
rien ne répond

j'ai oublié
la vérité me souviens
du reste

le mascaret

La mort n'est plus l'énigme.

C'est aujourd'hui la jeunesse.
On observe un homme de 23 ans; on se demande comment c'est possible. Cet impossible devient l'essence même de ce à quoi l'on aspire, le seul demain en amont.

Je descends la rue Joliette. Rejoins mon lit de carcasses de chars et de clochers.

On a ralenti le pas. On entendait mieux le grésillement des transformateurs. Goûtions mieux le frais du fond de l'air. Il faisait noir d'un bleu de roi. Du velours sur toute la nuit. La chandelle faisait rire son visage. Un diamant dans ma cage thoracique. La ville se fit muette. Elle prit une autre gorgée de Heineken. Pour que je goûte son silence obstiné.

Parfois, une luciole va paraître. On l'espère au loin, puis elle nous surprend au bord de la joue. Tout à coup elle fait peur. Surtout lorsque c'est la joue de notre amour. Et qu'elle fait parler son œil. Dans la nuit. Tout ce temps de misère dans un feu d'artifice.

On voudrait mourir.

Femme sexualisé

elle s'est étirée dans son lit comme dans la rue m'a agrippé par
les côtes jeté en arrière en remplissant ma bouche toute la nuit
m'a renversé de sa peau noire

l'antre-jambe mouillée
Hochelabig-Mama chante
la sueur comme une splendeur
du vent en missionnaire du mouvement
perpétuel c'est ce jour
où jamais que j'aime
sans fin qui m'enlace

Lafontaine varie entre femme et ville
Miron → femme constament

L'insurrection permanente de la bonté

C'est le soir. Je dors. Il y a une chute dans mon dos, un vol plané.
Elle a des mains de liège.

à quoi tu penses
à ton jugement

fils fatigués
vous me rappelez la vie
le corps d'anguille
asséché menaçant
de laisser tomber

poteaux électriques
vous portez le poids
de la colère
dans vos racines inhibées

pour toi je réservais
les derniers rires de l'enfance
l'odeur des matins jaunes
le cri du loup frais dans ma gorge

mais tu m'arrives usée
par le travail incessant de la salive
huilée comme une vieille usine
un son de tôle dans le je t'aime

du coup je perds pied
mes rêves en charpente capitulent
la mémoire dans un incendie
la nuit tombe dans le fleuve

pour oublier mon silence je suis venu où tout le monde parle
seul mon bureau porte une fatigue d'impuissances toutes
mes soirées comme une civière sans secours

Tu écris tu pour te perdre dans les autres. La neige s'accumule sur un fil. Tu te refuses au monde pour ne plus y commettre d'erreurs devenir le héros – le si plein de mort pratiquant le silence. Un store se tend, s'étire, se lève. Le jour porte son lot de mensonges.

lourd comme un fleuve
Hochelaga-la-gigogne
ouvre son ciel
se déverse par les fenêtres
pour noyer
en nous le fleuve

vieillir
en pièces détachables
être beau de loin
avant le naufrage avant

J'écris à mon bureau. J'observe la rampe face à la fenêtre. Je rêve de la poser à l'horizontale en équilibre entre deux autos. Je pose mon crayon. Me jette du troisième. Il y a du fer forgé entre mes côtes. Du ciel ouvert à l'infini.

la pluie tombe sur Hochelaga-
l'assèche comme l'amour
est un choix je me vautre
dans la privation les rues se jettent
dans le fleuve comme on déneige
à coups de gratte je draine
ma vie de sa blancheur

quand je me suis comparé
à un oiseau ce n'était pas
pour donner du ciel une image
de liberté mais la distance
dont je rêve
en pensant à toi

ne m'appelle plus Hochelaga t'as beau vouloir te rapprocher
rien n'est pas gâté en pensant à toi j'ai compris que je t'aime
parce que tu m'empêches de devenir ta voix comme un
meurtre

tant que je peux
lire je demeure
trop présent je lisse
la phrase au dégoût sait-elle
combien sous la couverture
c'est elle
que j'agonise

plus je t'écris plus tu m'écœures Hochelaga-l'avide tu n'aimes
personne en avalant tout le monde

L'oreille collée au fond du bain. J'entends l'écho des ressorts d'un vieux lit à travers la nuit. Comme des gouttes de glace. Parfois, carrément, l'arrachement de deux plaques tectoniques. Je sais que ma tête est entre ses cuisses, que la surface de l'eau du fleuve orange les sectionne. Je sais qu'il y a trop peu d'eau. La face écrasée au fond, je ne saisis pas pourquoi elle m'impose ce que j'aurais accepté de bon cœur.

J'ai écrit que j'y étais pour bien peu. J'ai prétendu être porteur des voix des autres, une petite barque sous l'infini noir. Mais si j'y pense bien, je n'ai jamais imaginé qu'un seul je. Il est grand, maigre et plombé. Il tient debout grâce à un crochet, éjacule de la moelle épinière. Si vous me le demandiez, je pourrais vous le nommer.

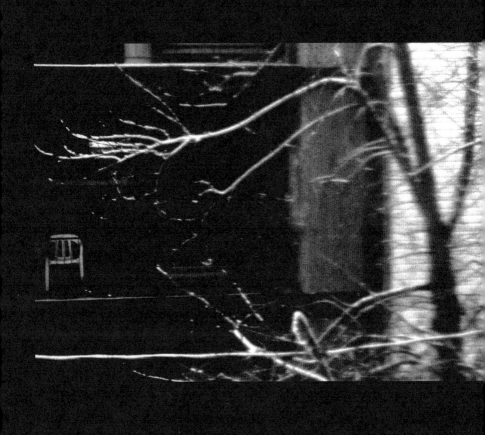

Personne ne dégage une tranchée de la ruelle au trottoir dans 30 cm de neige pour sa bicyclette. Personne ne récupère les cordes des stores horizontaux pour ficeler ses ordures. Personne n'est à sa fenêtre en même temps que moi pour épier. Depuis que le fou d'en face a disparu, j'ai peur de sa place.

Hochelaga

ce qui fait que   c'est toi
c'est que   tu n'as rien
que   j'espère

HOMA SWEET HOME
a été composé en caractères Ocean Sans corps 11.
Cette troisième édition a été achevée d'imprimer par l'imprimerie Gauvin
le quinzième jour du mois d'août de l'an deux mille treize
pour le compte des Éditions du Noroît.

Direction littéraire
Paul Bélanger